LA ZORRA Y LA CIGÜEÑA

Fábula de Esopo

La Zorra y la Cigüeña cuando se reunían se hacían tantos cumplidos que parecían dos viejas amigas.

1

Un día, la Zorra invitó a la Cigüeña a almorzar y la Cigüeña aceptó para curiosear la casa de la Zorra.

Al momento en que se sentaron a la mesa, la Cigüeña no pudo probar ni un bocado, pues los platos eran muy extendidos para su pico.

La Cigüeña no protestó, por el contrario, agradeció la atención e invitó a la Zorra a almorzar en su casa.

La Zorra se arregló con mucho esmero para asistir a dicho almuerzo.

Actividad

¿Cómo se siente la Zorra de ir a visitar a la Cigüeña?

Feliz

Enojada

Triste

La Zorra se aproximó a la cima del árbol, donde se encontraba la casa de la Cigüeña.

Actividad

¿Cuántos objetos puedes encontrar?

Mariposas

Pájaros

Flores

Después de subir una larga escalera, la Zorra se encontraba cansada y hambrienta.

Actividad

¿De qué color es el vestido de la Cigüeña?

Amarillo

Rosa

Rojo

La Cigüeña había preparado
ricos bocadillos servidos
en cántaros de cuello largo,
como para la Cigüeña, pero
no para la Zorra.

Cuando la Cigüeña terminó sus bocadillos, despidió cordialmente a la Zorra que se marchó a su casa arrepentida y convencida de que *El que la hace, la paga.*

¿Qué hubieras hecho tú si fueras la Cigüeña?

Moraleja:
No hagas a los otros, lo que no quieres que te hagan a ti.